# ANTIGONE

Jean Anouilh

## Fiche de lecture

Rédigée par Alain Sable, professeur de Lettres

lePetitLittéraire.fr

Retrouvez tout notre catalogue sur www.lePetitLitteraire.fr
Avec lePetitLittéraire.fr, simplifiez-vous la lecture !

© Primento Éditions, 2011. Tous droits réservés.
4, rue Henri Lemaitre | 5000 Namur
www.primento.com
ISBN 978-2-8062-1177-4
Dépôt légal : D/2011/12.603/118

# SOMMAIRE

# ANTIGONE

*JEAN ANOUILH*

Jean Anouilh est un écrivain français athée (1910-1987). Une représentation de *Siegried* de Giraudoux, en 1928, le décide à écrire pour le théâtre, activité qu'il poursuivra durant la guerre et l'occupation allemande (*Antigone*, en 1942, souleva d'ailleurs une violente polémique). À partir de 1961, il s'est davantage tourné vers la mise en scène et a contribué à faire connaitre Beckett et Ionesco.

Les pièces d'Anouilh ont oscillé entre comédie et drame, lui-même les ayant classées en différentes catégories selon leurs thèmes et leur esprit (pièces roses, noires, brillantes ou grinçantes). Mais, même dans les comédies, l'humour est féroce et le cynisme omniprésent : l'œuvre d'Anouilh est donc avant tout empreinte d'un pessimisme profond.

- **Né en 1910 à Bordeaux, décédé en 1987 à Lausanne**
- **Écrivain et dramaturge**
- **Quelques-unes de ses œuvres :**
*Le Voyageur sans bagage* (1937), pièce de théâtre
*Le Bal des voleurs* (1938), comédie
*Antigone* (1942), tragédie

## Une célèbre tragédie

*Antigone* est une tragédie moderne en prose revisitée et adaptée du texte antique de Sophocle. Écrite en 1942 dans le Paris occupé, la pièce est agréée par la censure hitlérienne, qui voit dans la « victoire » de Créon la justification de l'ordre établi. Après un premier accueil glacial, elle connait un immense succès, probablement parce que la jeunesse, à l'inverse de l'occupant nazi, voit davantage dans le message de l'auteur une héroïne admirable qui ose se lever face à l'autorité qu'une acceptation du pouvoir en place.

Les nombreux anachronismes de la pièce et le fait qu'elle se présente sous forme d'une suite ininterrompue de dialogues sans aucune division formelle l'éloignent du théâtre traditionnel français.

Aujourd'hui encore, la pièce suscite un intérêt extraordinaire, tout idéaliste pouvant trouver en Antigone un écho à sa quête de pureté et d'absolu.

# 1. RÉSUMÉ

Au lever du rideau, les onze protagonistes sont sur la scène. Durant leur présentation par le prologue, personnage à part entière chez Anouilh, ils s'en vont, un à un, sans mot dire. La tragédie peut commencer après cet exposé froid introduit par le présentatif « Voilà ».

La première scène met en présence **Antigone et sa nourrice**, inquiète du comportement de sa petite préférée. La jeune fille rentre en fait au palais à l'aube **après avoir enterré son frère, Polynice, malgré l'édit de son oncle, Créon**, le roi de Thèbes, qui a promis la **mort à quiconque enfreindrait la loi**. Elle rassure sa nourrice en lui cachant la vérité.

S'ensuit alors une scène entre Antigone et Ismène, sa sœur ainée, durant laquelle la rivalité entre les deux jeunes femmes apparait au grand jour même si le dialogue n'est pas dénué de tendresse. Antigone cache également à sa sœur son acte de la nuit, mais elle l'inquiète quand elle lui signifie qu'elle ira enterrer son frère contre l'avis royal.

La nourrice réapparait. Elle veut réconforter « sa » petite Antigone. Cette scène nous montre l'état de fragilité de la jeune femme qui cherche une forme de réconfort enfantin.

Arrive alors **Hémon, fiancé d'Antigone** et fils de Créon. Après lui avoir fait jurer qu'il ne lui poserait aucune question sur son **refus de l'épouser**, elle le congédie.

Revenue auprès de sa sœur, Ismène tente de la convaincre de ne pas aller enterrer Polynice arguant du fait que son frère ne l'aimait pas. Antigone lui avoue alors qu'elle a déjà commis l'irréparable.

Apparait un garde qui apprend à Créon que le corps de Polynice a été en partie recouvert de terre. **Le roi choisit d'éviter le scandale** en faisant promettre au garde et à ses compagnons de garder sous silence cet acte de rébellion.

Une fois la scène vide, le chœur entre et explique au public ce qu'est la tragédie selon Anouilh et ses différences avec le drame.

Les gardes resurgissent : ils amènent Antigone qu'ils ont surprise en train de recouvrir le corps de Polynice qu'elle n'avait pu complètement ensevelir la nuit.

De retour, **Créon, stupéfait, découvre sa nièce, menottes aux poignets**. Cette confrontation est le moment-clé de la pièce. Durant cette scène capitale, beaucoup plus longue et plus argumentée chez Anouilh que chez Sophocle, **Créon va tout tenter pour éviter la mort d'Antigone.**

Il lui propose d'abord d'étouffer l'affaire et de prétendre à un caprice d'enfant, mais Antigone lui rétorque qu'elle a agi en toute connaissance de cause et qu'elle recommencera si Créon la libère. Il lui prouve ensuite **l'absurdité des rites religieux**, mais elle lui répond qu'elle ne l'a fait que « pour elle ». Créon lui explique ensuite la difficulté de gouverner et les raisons politiques et sociales pour lesquelles il a été obligé d'éditer ce décret. Il lui demande de le comprendre. Mais Antigone refuse de l'écouter : « Je ne veux pas comprendre… Je suis là pour vous dire non et pour mourir ». Alors, Créon, comme ultime argument, lui dévoile la **véritable histoire de ses deux frères indignes**, « qui se sont égorgés comme deux petits voyous qu'ils étaient, pour un règlement de comptes… ». Antigone, cette fois, vacille en apprenant que Polynice n'était qu' « un petit fêtard imbécile, un petit carnassier dur et sans âme », y compris à l'égard de son père, Œdipe, qu'Antigone vénérait. Créon, voulant assoir sa victoire, lui donne alors sa définition du bonheur. Mais, en entendant ce mot, Antigone réagit et redevient la petite fille rebelle qu'elle n'a jamais cessé d'être. Elle lacère le raisonnement de Créon : « Vous me dégoûtez tous avec votre bonheur ». Elle rentre dans sa logique obstinée, voire aveugle, sans aucun compromis : « Moi, je veux tout, tout de suite, – et que ce soit entier – ou alors je refuse ! ».

C'est à ce moment qu'arrive **Ismène qui se propose de mourir avec sa sœur.** Celle-ci refuse, prétextant qu'il est trop tard : « Tu ne te figures pas que tu vas mourir avec moi maintenant. Ce serait trop facile ». Cette réplique fait allusion au moment fort de leur première rencontre, alors qu'Ismène refusait de souffrir.

Excédé par le comportement provocant d'Antigone, Créon appelle ses gardes. « Enfin », s'écrie-t-elle. Ainsi, Antigone mourra en accomplissant son destin, la moïra.

Créon doit alors subir les reproches du chœur, qu'il rejette : « C'est elle qui voulait mourir. Aucun de nous n'était assez fort pour la décider à vivre ». Il reste ensuite inflexible devant la **tentative désespérée d'Hémon de sauver sa fiancée** en se rangeant derrière le légalisme de sa fonction de roi : « Je suis le maitre avant la loi. Plus après ».

Seule avec un garde, Antigone lui dicte une lettre qu'il devra remettre à Hémon, lettre dans laquelle elle avoue : « Je ne sais plus pourquoi je meurs… ».

C'est le messager qui viendra annoncer l'effroyable nouvelle. Antigone, condamnée à être emmurée vivante afin qu'elle ne souille pas la ville de son sang, a préféré **se pendre dans son tombeau** avec sa ceinture. Arrivé trop tard, Hémon s'est jeté dans les bras sans vie de sa fiancée. Parvenu à son tour sur les lieux du drame, Créon tente de relever son fils qui ne l'entend plus. **Hémon se redresse et lui crache au visage**, puis « le regarde avec ses yeux d'enfant, lourds de mépris » **avant de se plonger l'épée dans le ventre**. Le messager annonce enfin **la mort d'Eurydice**, la femme de Créon, qui s'est tranché la gorge en silence quand elle a appris la mort de son fils.

Créon reste donc seul, avec son petit page. Il va se rendre au conseil puisqu'il est le roi. Quant aux gardes, eux, « c'est pas leurs oignons, ils continuent à jouer aux cartes… ».

# 2. ÉTUDE DES PERSONNAGES

## Antigone

Dans le prologue :

- Physiquement : « petite maigre », « jeune fille noiraude », « ses bras entourant ses genoux », « yeux graves », « sourire triste ».

- Moralement : « renfermée », « personne ne [la] prenait au sérieux dans la famille », «rêvait dans un coin ».

Ainsi, Antigone **n'est pas ce que l'on peut appeler une belle femme**, à l'inverse de sa sœur. Celle-ci lui dit d'ailleurs : « Pas belle comme nous, mais autrement », ce qui sous-entend qu'Antigone a une beauté bien à elle. Même sa nourrice qui l'adore lui dit : « Mon Dieu, cette petite, elle n'est pas assez coquette ». Ce qui est beau chez elle est donc intérieur, « invisible pour les yeux », comme l'écrivait Saint-Exupéry.

Son physique ingrat, de « moineau », comme lui assène Créon, se double **de gravité et de tristesse** qui transparaissent à travers ses yeux et son sourire. La position fœtale accentue encore son **malaise physico-moral**, caractéristique d'un isolement, d'un repli sur soi et d'un besoin de sécurité. Cette position fœtale est un prélude à sa véritable naissance : elle la quittera pour « se dresser seule en face du monde ».

La véritable Antigone accroche donc par sa personnalité, que Créon décrit comme « l'orgueil d'Œdipe », en ajoutant que « le malheur humain, c'était trop peu ». Et de fait, Antigone avouera, à court d'arguments devant son oncle, que cet acte d'ensevelir son frère, elle ne l'a fait « pour personne », sinon pour elle. Par cette affirmation, **elle revendique dès lors sa liberté totale** même si, face à la mort, elle prend conscience de sa solitude (« toute seule ») et de ses peurs (« je ne sais plus pourquoi je meurs. J'ai peur... »). La mort l'attire comme la conclusion sublime d'un idéal démesuré, mais, *in fine*, l'angoisse.

Antigone est également **une rebelle, une révoltée** et ce depuis son enfance. Elle pousse cette rébellion à son paroxysme dans son dialogue avec Créon : « Je ne veux pas comprendre... Je suis là pour vous dire non et pour mourir » ; « Vous me dégoûtez tous avec votre bonheur » ; « Moi, je veux tout, tout de suite, ou alors je refuse ! ».

Ces trois phrases prononcées par Antigone sont de **véritables provocations** qui pousseront Créon à maintenir la sentence de mort. Le dernier extrait est peut-être celui qui caractérise le mieux Antigone : entière, **refusant le moindre compromis** et confondant malheureusement par la même occasion compromis et compromission.

Entière et idéaliste donc, mais un idéalisme démesuré qu'elle paiera de sa vie.

Et pourtant, Antigone est **une vraie passionnée de la vie**, de la vraie vie. Elle adore se lever tôt à l'aube : « C'est beau un jardin qui ne pense pas encore aux hommes » ; « Qui se levait la première, le matin, rien que pour sentir l'air froid sur sa peau nue ? ». Mais, comme tous les passionnés, elle est éternellement insatisfaite. Elle ne sait pas apprécier le bonheur parce que l'instant suivant l'effraie. Ainsi, elle dit à Hémon : « Quand tu penses que je serai à toi, est-ce que tu sens au milieu de toi comme un grand trou qui se creuse, comme quelque chose qui meurt ? » Cette phrase peut également trouver son sens dans l'acceptation par Antigone de son destin tragique. Héritière des Labdacides, elle sait que sa moïra (son destin) ne se réalisera que dans l'accomplissement de **la malédiction qui frappe sa famille**. Elle restera donc fidèle à Œdipe, son père, par fidélité filiale : « Oui, je suis laide !... Papa n'est devenu beau qu'après, quand il a été bien sûr, enfin, qu'il avait tué son père, que c'était bien avec sa mère qu'il avait couché, et que rien, plus rien, ne pouvait le sauver ». On retrouve également cette **fidélité filiale** dans son acte désespéré d'ensevelir son frère.

Antigone c'est aussi, malgré **ses vingt ans**, une petite fille, à l'image de la petite pelle qu'elle utilise pour recouvrir le corps de Polynice, petite pelle avec laquelle son frère et elle construisaient des châteaux de sable. C'est une toute petite fille fragile comme dans la scène avec sa nourrice où elle recherche sa chaleur et sa main afin de n'avoir plus peur « du méchant ogre » ! C'est une petite créature farouche qui **regrette le temps de l'enfance** : « Je veux être sûre de tout aujourd'hui et que cela soit aussi beau que quand j'étais petite – ou mourir », parce que ce temps était celui de la pureté et de l'innocence.

Antigone, une antinomie permanente et éternelle !

## Créon

Dans le prologue :

- Physiquement : « homme robuste », « cheveux blancs », « il a des rides », « il est fatigué ».

- Moralement : « C'est le roi. Il joue au jeu difficile de conduire les hommes. Avant, il aimait la musique, les belles reliures... ». Depuis qu'il est roi, « il a retroussé ses manches. Au matin, il se lève, tranquille, comme un ouvrier au seuil de sa journée ».

Anouilh présente Créon comme **un homme usé et fatigué qui ne s'attendait pas à régner**. Il aura fallu la mort d'Œdipe et de ses deux fils pour qu'il accède au pouvoir royal, tâche pour laquelle il n'était pas préparé, mais dont il va s'acquitter du mieux qu'il peut : « Un matin, je me suis réveillé roi de Thèbes. Et Dieu sait si j'aimais autre chose dans la vie que d'être puissant ». Consciencieux certes, il est toutefois plus besogneux qu'ambitieux : « Moi, je m'appelle seulement Créon, Dieu merci. J'ai mes deux pieds sur terre, mes deux mains enfoncées dans mes poches, et, puisque je suis roi, j'ai résolu, avec moins d'ambition que ton père, de m'employer tout simplement à rendre l'ordre de ce monde un peu moins absurde, si c'est possible ». Par cette phrase, il **reconnait son manque d'audace**. Au nom du bon sens, il prône l'accommodement tout en avouant avoir entretenu d'autres idéaux : « J'écoutais du fond du temps un petit Créon maigre et pâle comme toi et qui ne pensait qu'à tout donner lui aussi ». Ainsi, il se considère un peu comme une Antigone qui ne serait pas allée jusqu'au bout de son destin, ce que sa nièce lui reproche par ailleurs durant leur long entretien.

Ce long entretien entre l'oncle et sa nièce, véritable clé de voûte de la tragédie d'Anouilh, symbolise **l'impossible rencontre entre deux visions** du monde diamétralement opposées, **celle de la loi et celle de la conscience** (voir III-1).

Durant ce dialogue, Créon fait preuve de beaucoup de patience et de compréhension bienveillante, voire paternelle. Toutefois, devant les provocations répétées d'Antigone et repris par son besoin du devoir, il la condamne à mort. Le « petit Créon maigre... qui ne pensait qu'à donner lui aussi » est complètement rattrapé par son devoir de roi. Il redevient l'ouvrier du pouvoir, une sorte d'anti-héros au service de la loi humaine.

Seul durant toute la pièce, en tant que décideur unique du sort d'Antigone, sa **solitude** apparait plus grande encore lors du dénouement. Le chœur lui fait d'ailleurs remarquer : « Et tu es tout seul maintenant, Créon ». Et de fait, sa famille décimée suite aux suicides d'Hémon, son fils, et d'Eurydice, sa femme, il se retrouve plus seul que jamais.

## Ismène

Dans le prologue :

- Physiquement : « blonde », « belle », « heureuse », « sensuelle ».

- Moralement : « bavarde et rit », « goût de la danse et des jeux », « goût du bonheur et de la réussite ».

Ce qui est surprenant dans le prologue, c'est qu'Ismène est le seul personnage à ne pas être présenté à part entière. **Elle n'est évoquée que par rapport à Antigone et à Hémon.**

Ainsi, Ismène est un personnage que l'on définit par comparaison, soit par affinité, avec Hémon, mais, surtout, par contraste, avec Antigone. En fait, **tout oppose les deux sœurs**, tant le physique que le moral. À la réflexion et à la prudence de l'ainée, s'opposent la passion et l'audace impudente de la cadette. Au « je comprends un peu notre oncle » d'Ismène, succède le « moi je ne veux pas comprendre un peu » d'Antigone. Et lorsqu'Ismène lui dit : « Ecoute-moi, j'ai raison plus souvent que toi », Antigone lui rétorque un « je ne veux pas avoir raison », qui en dit long sur sa détermination et son entêtement.

Les deux caractères féminins de la pièce s'opposent donc complètement. Ismène est une belle jeune femme sensuelle qui recherche un bonheur simple et matériel, « goût de la danse et des jeux, goût du bonheur et de la réussite », ce type de bonheur que précisément Antigone rejette avec toute sa force de garçon manqué.

Le passage le plus révélateur de la personnalité d'Ismène apparait dans son dialogue avec Antigone. Dès le début de l'entrevue, Ismène signale à deux reprises qu'elle a « bien pensé » avant de faire remarquer par trois fois qu'elle « réfléchit ». Cette insistance signale qu'**Ismène s'appuie sur la raison**, à l'inverse d'Antigone, guidée par sa passion, mais peut également signaler un manque de confiance dans la mesure où Ismène trouve nécessaire de placer à cinq reprises son sens de la réflexion et de l'appuyer par trois fois à l'aide de l'adverbe d'intensité « bien ». Ensuite, Ismène fait preuve d'une parfaite maitrise de la dialectique en alternant arguments logiques et psychologiques. Désirant convaincre sa sœur de l'absurdité de son geste, elle va tenter d'abord de la raisonner, puis, ses arguments n'ayant aucun effet, elle change de stratégie en tentant de la toucher par le biais du cœur. **La construction de son discours est donc la preuve qu'elle est une personne réfléchie.** Nous pouvons par ailleurs constater qu'Antigone, à aucun moment, ne réfute les arguments de sa sœur, elle ne lui répond qu'à l'aide de phrases négatives refusant ainsi de s'ouvrir à une véritable discussion.

# 3. CLÉS DE LECTURE

S'il est bien une pièce qui a soulevé et soulève encore la **polémique,** c'est l'Antigone d'Anouilh. Mais pourquoi tant de controverses ?

## Polémique

La **polémique** concernant Antigone découle tout naturellement du contexte dans lequel la pièce a été composée. En effet, **elle est écrite dans le Paris de 1942** occupé par les troupes allemandes, quelques semaines après l'attentat d'un jeune résistant français, Paul Colette, contre des collaborateurs dont, notamment, Pierre Laval et Marcel Déat, qu'il blessa tous les deux. Beaucoup ont vu et voient encore dans cet acte voué à l'échec une forme d'héroïsme vain qui aurait inspiré Anouilh pour le personnage d'Antigone.

## Le point de vue de l'auteur

La prudence, toutefois, inciterait à ne retenir que ce qu'Anouilh lui-même a écrit concernant les motivations de cette pièce. « L'Antigone de Sophocle, lue et relue, et que je connaissais par cœur depuis toujours, a été un choc soudain pendant la guerre, le jour de petites affiches rouges. Je l'ai réécrite à ma façon, avec la résonnance de la tragédie que nous étions alors en train de vivre ». Ces affiches rouges (qui inspirèrent un célèbre poème d'Aragon à la gloire de la résistance), placardées dans toute la France par le régime de Vichy et les nazis, traitaient de l'exécution de 23 résistants que l'occupant faisait passer pour des terroristes aux yeux du peuple français. **Sans nier l'influence du contexte historique,** Anouilh ne fait donc pas référence à l'acte de Paul Collette.

L'affirmation émanant d'Anouilh lui-même soulève **une question épineuse.** Comment aurait-il pu s'inspirer de ces « affiches rouges » apparues fin février 44 alors que l'écriture de sa pièce date de 1942 et qu'elle fut jouée dès le 4 février 1944 ? Certains prétextèrent un souvenir imprécis quant à la chronologie. D'autres en profitèrent pour réaffirmer que l'acte insensé de Paul Collette était donc bien l'élément déclencheur de la pièce.

## Devoir de conscience versus devoir de Loi

Un autre élément polémique provient du fait que lors de certaines représentations, Anouilh et Barsacq distribuèrent des **tracts encourageant la Résistance** alors que, dans le même temps, cette même Résistance accusait Anouilh de collaboration et que des milieux clandestins le menaçaient. Souvenons-nous que la **censure nazie avait accepté l'édition du texte**, voyant dans la mort d'Antigone **la victoire de Créon et donc de l'ordre établi**, et que c'est la jeunesse qui, percevant au contraire dans la mort d'Antigone le triomphe de la pureté et le refus de tout compromis avec « l'ennemi », en fit un succès retentissant. Aussi l'Antigone d'Anouilh symbolise-t-elle également un **conflit de générations**. On distingue, d'une part Créon l'adulte, le rationnel en quête d'un modus vivendi, synthèse de solutions médianes, et, d'autre part Antigone, égérie d'une **adolescence guidée par une recherche d'absolu** et d'opposition au monde installé. Cet antagonisme, particulièrement présent dans le dialogue Antigone-Créon, est le cœur de cette impossible voie intermédiaire entre deux conceptions du devoir : le devoir de conscience chez Antigone et le devoir de la Loi pour Créon.

## Une polémique qui touche jusqu'aux détails...

Le fait que les gardes jouent avec des **imperméables de cuir rappelant ceux de la gestapo** a frappé les esprits d'autant plus qu'**Anouilh ne juge pas leur comportement** pourtant fruste et brutal : « Ce ne sont pas de mauvais bougres...». Or ces gardes en imperméable de cuir « sont les auxiliaires de la justice de Créon ». On peut dès lors comprendre l'amalgame douteux qui s'est créé dans l'esprit de certains spectateurs et la controverse qui en est née. N'oublions pas non plus que la pièce a été écrite fin de l'été 1942, c'est-à-dire quelques semaines à peine après la rafle de plusieurs milliers de juifs français au Vel d'Hiv en vue de leur déportation pour les camps de concentration ou d'extermination. Ne pas juger à cette époque ces « auxiliaires de la justice de Créon » en imperméable de cuir pouvait dès lors être logiquement interprété comme une forme d'acceptation de l'ordre établi.

## Portée politique

La **portée politique** de la pièce peut être reliée directement à la polémique liée à la motivation de son écriture. Or nous venons de constater qu'il fallait garder beaucoup de **distance et de prudence** face aux mobiles qui auraient poussé Anouilh à composer sa tragédie.

Est-ce à dire qu'Anouilh n'aurait écrit sa pièce que poussé par son intérêt de la culture classique ? Cela ne parait guère plausible dans la mesure où beaucoup d'éléments objectifs de la tragédie convergent vers une **Antigone allégorie de la résistance** par son opposition farouche au pouvoir en place, et un Créon personnifiant une realpolitik au service de l'occupant.

Toutefois, qu'Anouilh, le narchiste qui a tenté de réhabiliter des collabos durant l'épuration, ait voulu faire d'Antigone une sorte de nouvelle Jeanne d'Arc aux yeux de la jeunesse de l'époque parait à tout le moins contradictoire.

Une conclusion prudente concernant la **polémique** et la **portée politique** de l'œuvre consisterait donc à **reconnaitre l'influence du contexte historique** de l'époque, chose qu'Anouilh a par ailleurs admise aisément, **sans pour autant interpréter de manière trop libre** des éléments qui pourraient tout aussi bien être analysés de manière diamétralement opposée. Ainsi, bien qu'adulée de tout temps par une jeunesse idéaliste, Antigone n'est, pour Anouilh, qu' « une petite fille ingrate et puante comme mai 68 » ! De même, si, aux yeux de certains, Antigone, la fière héroïne vainc par et dans sa mort le pouvoir compromis, elle reconnait ne plus savoir pourquoi elle meurt tout en entrainant dans ses ténèbres un Hémon amoureux qui ne demandait qu'à vivre heureux à ses côtés et une Eurydice, complètement brisée par le suicide de son fils.

# 4. PISTES DE RÉFLEXION

**Quelques questions pour approfondir sa réflexion...**

- Opposez Ismène à Antigone.

- Comparez l'Antigone d'Anouilh à celle de Sophocle en liant les différences entre les deux œuvres au contexte historique et politique de l'époque, et en évoquant l'approche religieuse très différente des auteurs.

- Comparez également le personnage d'Antigone chez Anouilh et chez Bauchau.

- Établissez un parallèle entre les dialogues Antigone/Ismène et Antigone/Créon. Que constatez-vous ?

- Anouilh met en avant, dans le dialogue Créon/Antigone, une métaphore filée. Analysez-la.

- « Je suis le maitre avant la loi. Plus après ». Commentez cette réflexion de Créon.

- Créon se trouve face à un terrible dilemme. Quel est ce dilemme ? Est-il comparable aux dilemmes qui déchirent les personnages de Racine ou de Corneille ?

- L'œuvre d'Anouilh représente deux visions du monde radicalement opposées : celle de la loi et celle de la conscience. Expliquez en quoi consistent ces deux visions.

- Cette œuvre fait partie des « pièces noires » d'Anouilh. Justifiez cette appartenance.

- Que pensez-vous de l'attitude d'Antigone ? Selon vous, est-ce que ça vaut la peine de mourir pour ses idées ? Argumentez en recourant à des exemples historiques célèbres.

# 5. INFORMATIONS COMPLÉMENTAIRES

## Édition de référence

*   *Antigone*, La Table ronde, 1975.

## Études de référence

*   Élie DE COMMINGES, *Anouilh, littérature et politique*, Nizet, 1977.

*   Henri MITTERAND (dir.), *Dictionnaire des grandes œuvres de la littérature française*, Le Robert, 1992, « Les Usuels ».

LePetitLittéraire.fr, une collection en ligne d'analyses littéraires de référence :
- des fiches de lecture, des questionnaires de lecture et des commentaires composés
- sur plus de 500 œuvres classiques et contemporaines
- ... le tout dans un langage clair et accessible !

## Connectez-vous sur lePetitlittéraire.fr et téléchargez nos documents en quelques clics :

Adamek, *Le fusil à pétales*
Alibaba et les 40 voleurs
Amado, *Cacao*
Ancion, *Quatrième étage*
Andersen, *La petite sirène et autres contes*
Anouilh, *Antigone*
Anouilh, *Le Bal des voleurs*
Aragon, *Aurélien*
Aragon, *Le Paysan de Paris*
Aragon, *Le Roman inachevé*
Aurevilly, *Le chevalier des Touches*
Aurevilly, *Les Diaboliques*
Austen, *Orgueil et préjugés*
Austen, *Raison et sentiments*
Auster, *Brooklyn Folies*
Aymé, *Le Passe-Muraille*
Balzac, *Ferragus*
Balzac, *La Cousine Bette*
Balzac, *La Duchesse de Langeais*
Balzac, *La Femme de trente ans*
Balzac, *La Fille aux yeux d'or*
Balzac, *Le Bal des sceaux*
Balzac, *Le Chef-d'oeuvre inconnu*
Balzac, *Le Colonel Chabert*
Balzac, *Le Père Goriot*
Balzac, *L'Elixir de longue vie*
Balzac, *Les Chouans*
Balzac, *Les Illusions perdues*
Balzac, *Sarrasine*
Balzac, *Eugénie Grandet*
Balzac, *La Peau de chagrin*
Balzac, *Le Lys dans la vallée*
Barbery, *L'Elégance du hérisson*
Barbusse, *Le feu*
Baricco, *Soie*
Barjavel, *La Nuit des temps*
Barjavel, *Ravage*
Bauby, *Le scaphandre et le papillon*
Bauchau, *Antigone*
Bazin, *Vipère au poing*
Beaumarchais, *Le Barbier de Séville*
Beaumarchais, *Le Mariage de Figaro*
Beauvoir, *Le Deuxième sexe*
Beauvoir, *Mémoires d'une jeune fille rangée*
Beckett, *En attendant Godot*
Beckett, *Fin de partie*
Beigbeder, *Un roman français*
Benacquista, *La boîte noire et autres nouvelles*
Benacquista, *Malavita*
Bourdouxhe, *La femme de Gilles*
Bradbury, *Fahrenheit 451*
Breton, *L'Amour fou*
Breton, *Le Manifeste du Surréalisme*
Breton, *Nadja*
Brink, *Une saison blanche et sèche*

Brisville, *Le Souper*
Brönte, *Jane Eyre*
Brönte, *Les Hauts de Hurlevent*
Brown, *Da Vinci Code*
Buzzati, *Le chien qui a vu Dieu et autres nouvelles*
Buzzati, *Le veston ensorcelé*
Calvino, *Le Vicomte pourfendu*
Camus, *La Chute*
Camus, *Le Mythe de Sisyphe*
Camus, *Le Premier homme*
Camus, *Les Justes*
Camus, *L'Etranger*
Camus, *Caligula*
Camus, *La Peste*
Carrère, *D'autres vies que la mienne*
Carrère, *Le retour de Martin Guerre*
Carrière, *La controverse de Valladolid*
Carrol, *Alice au pays des merveilles*
Cassabois, *Le Récit de Gildamesh*
Céline, *Mort à crédit*
Céline, *Voyage au bout de la nuit*
Cendrars, *J'ai saigné*
Cendrars, *L'Or*
Cervantès, *Don Quichotte*
Césaire, *Les Armes miraculeuses*
Chanson de Roland
Char, *Feuillets d'Hypnos*
Chateaubriand, *Atala*
Chateaubriand, *Mémoires d'Outre-Tombe*
Chateaubriand, *René 25*
Chateaureynaud, *Le verger et autres nouvelles*
Chevalier, *La dame à la licorne*
Chevalier, *La jeune fille à la perle*
Chraïbi, *La Civilisation, ma Mère!...*
Chrétien de Troyes, *Lancelot ou le Chevalier de la Charrette*
Chrétien de Troyes, *Perceval ou le Roman du Graal*
Chrétien de Troyes, *Yvain ou le Chevalier au Lion*
Chrétien de Troyes, *Erec et Enide*
Christie, *Dix petits nègres*
Christie, *Nouvelles policières*
Claudel, *La petite fille de Monsieur Lihn*
Claudel, *Le rapport de Brodeck*
Claudel, *Les âmes grises*
Cocteau, *La Machine infernale*
Coelho, *L'Alchimiste*
Cohen, *Le Livre de ma mère*
Colette, *Dialogues de bêtes*
Conrad, *L'hôte secret*
Conroy, *Corps et âme*
Constant, *Adolphe*
Corneille, *Cinna*

Corneille, *Horace*
Corneille, *Le Menteur*
Corneille, *Le Cid*
Corneille, *L'Illusion comique*
Courteline, *Comédies*
Daeninckx, *Cannibale*
Dai Sijie, *Balzac et la Petite Tailleuse chinoise*
Dante, *L'Enfer*
Daudet, *Les Lettres de mon moulin*
De Gaulle, *Mémoires de guerre III. Le Salut. 1944-1946*
De Lery, *Voyage en terre de Brésil*
De Vigan, *No et moi*
Defoe, *Robinson Crusoé*
Del Castillo, *Tanguy*
Deutsch, *Les garçons*
Dickens, *Oliver Twist*
Diderot, *Jacques le fataliste*
Diderot, *Le Neveu de Rameau*
Diderot, *Paradoxe sur le comédien*
Diderot, *Supplément au voyage de Bougainville*
Dorgelès, *Les croix de bois*
Dostoïevski, *Crime et châtiment*
Dostoïevski, *L'Idiot*
Doyle, *Le Chien des Baskerville*
Doyle, *Le ruban moucheté*
Doyle, *Scandales en bohème et autres contes*
Dugain, *La chambre des officiers*
Dumas, *Le Comte de Monte Cristo*
Dumas, *Les Trois Mousquetaires*
Dumas, *Pauline*
Duras, *Le Ravissement de Lol V. Stein*
Duras, *L'Amant*
Duras, *Un barrage contre le Pacifique*
Eco, *Le Nom de la rose*
Enard, *Parlez-leur de batailles, de rois et d'éléphants*
Ernaux, *La Place*
Ernaux, *Une femme*
Fabliaux du Moyen Age
Farce de Maitre Pathelin
Faulkner, *Le bruit et la fureur*
Feydeau, *Feu la mère de Madame*
Feydeau, *On purge bébé*
Feydeau, *Par la fenêtre et autres pièces*
Fine, *Journal d'un chat assassin*
Flaubert, *Bouvard et Pecuchet*
Flaubert, *Madame Bovary*
Flaubert, *L'Education sentimentale*
Flaubert, *Salammbô*
Follett, *Les piliers de la terre*
Fournier, *Où on va papa?*
Fournier, *Le Grand Meaulnes*

Frank, *Le Journal d'Anne Frank*
Gary, *La Promesse de l'aube*
Gary, *La Vie devant soi*
Gary, *Les Cerfs-volants*
Gary, *Les Racines du ciel*
Gaudé, *Eldorado*
Gaudé, *La Mort du roi Tsongor*
Gaudé, *Le Soleil des Scorta*
Gautier, *La morte amoureuse*
Gautier, *Le capitaine Fracasse*
Gautier, *Le chevalier double*
Gautier, *Le pied de momie et autres contes*
Gavalda, *35 kilos d'espoir*
Gavalda, *Ensemble c'est tout*
Genet, *Journal d'un voleur*
Gide, *La Symphonie pastorale*
Gide, *Les Caves du Vatican*
Gide, *Les Faux-Monnayeurs*
Giono, *Le Chant du monde*
Giono, *Le Grand Troupeau*
Giono, *Le Hussard sur le toit*
Giono, *L'homme qui plantait des arbres*
Giono, *Les Âmes fortes*
Giono, *Un roi sans divertissement*
Giordano, *La solitude des nombres premiers*
Giraudoux, *Electre*
Giraudoux, *La guerre de Troie n'aura pas lieu*
Gogol, *Le Manteau*
Gogol, *Le Nez*
Golding, *Sa Majesté des Mouches*
Grimbert, *Un secret*
Grimm, *Contes*
Gripari, *Le Bourricot*
Guilleragues, *Lettres de la religieuse portugaise*
Gunzig, *Mort d'un parfait bilingue*
Harper Lee, *Ne tirez pas sur l'oiseau moqueur*
Hemingway, *Le Vieil Homme et la Mer*
Hessel, *Engagez-vous!*
Hessel, *Indignez-vous!*
Higgins, *Harold et Maud*
Higgins Clark, *La nuit du renard*
Homère, *L'Iliade*
Homère, *L'Odyssée*
Horowitz, *La Photo qui tue*
Horowitz, *L'Île du crâne*
Hosseini, *Les Cerfs-volants de Kaboul*
Houellebecq, *La Carte et le Territoire*
Hugo, *Claude Gueux*
Hugo, *Hernani*
Hugo, *Le Dernier Jour d'un condamné*
Hugo, *L'Homme qui Rit*
Hugo, *Notre-Dame de Paris*
Hugo, *Quatrevingt-Treize*
Hugo, *Les Misérables*
Hugo, *Ruy Blas*
Huston, *Lignes de faille*
Huxley, *Le meilleur des mondes*
Huysmans, *À rebours*
Huysmans, *Là-Bas*
Ionesco, *La cantatrice Chauve*
Ionesco, *La leçon*
Ionesco, *Le Roi se meurt*
Ionesco, *Rhinocéros*
Istrati, *Mes départs*

Jaccottet, *A la lumière d'hiver*
Japrisot, *Un long dimanche de fiançailles*
Jary, *Ubu Roi*
Joffo, *Un sac de billes*
Jonquet, *La vie de ma mère!*
Juliet, *Lambeaux*
Kadaré, *Qui a ramené Doruntine?*
Kafka, *La Métamorphose*
Kafka, *Le Château*
Kafka, *Le Procès*
Kafka, *Lettre au père*
Kerouac, *Sur la route*
Kessel, *Le Lion*
Khadra, *L'Attentat*
Koenig, *Nitocris, reine d'Egypte*
La Bruyère, *Les Caractères*
La Fayette, *La Princesse de Clèves*
La Fontaine, *Fables*
La Rochefoucauld, *Maximes*
Läckberg, *La Princesse des glaces*
Läckberg, *L'oiseau de mauvais augure*
Laclos, *Les Liaisons dangereuses*
Lamarche, *Le jour du chien*
Lampedusa, *Le Guépard*
Larsson, *Millenium I. Les hommes qui n'aimaient pas les femmes*
Laye, *L'enfant noir*
Le Clézio, *Désert*
Le Clézio, *Mondo*
Leblanc, *L'Aiguille creuse*
Leiris, *L'Âge d'homme*
Lemonnier, *Un mâle*
Leprince de Beaumont, *La Belle et la Bête*
Leroux, *Le Mystère de la Chambre Jaune*
Levi, *Si c'est un homme*
Levy, *Et si c'était vrai...*
Levy, *Les enfants de la liberté*
Levy, *L'étrange voyage de Monsieur Daldry*
Lewis, *Le Moine*
Lindgren, *Fifi Brindacier*
Littell, *Les Bienveillantes*
London, *Croc-Blanc*
London, *L'Appel de la forêt*
Maalouf, *Léon l'africain*
Maalouf, *Les échelles du levant*
Machiavel, *Le Prince*
Madame de Staël, *Corinne ou l'Italie*
Maeterlinck, *Pelléas et Mélisande*
Malraux, *La Condition humaine*
Malraux, *L'Espoir*
Mankell, *Les chaussures italiennes*
Marivaux, *Les Acteurs de bonne foi*
Marivaux, *L'île des esclaves*
Marivaux, *La Dispute*
Marivaux, *La Double Inconstance*
Marivaux, *La Fausse Suivante*
Marivaux, *Le Jeu de l'amour et du hasard*
Marivaux, *Les Fausses Confidences*
Maupassant, *Boule de Suif*
Maupassant, *La maison Tellier*
Maupassant, *La morte et autres nouvelles fantastiques*
Maupassant, *La parure*
Maupassant, *La peur et autres contes fantastiques*
Maupassant, *Le Horla*
Maupassant, *Mademoiselle Perle et*

autres nouvelles
Maupassant, *Toine et autres contes*
Maupassant, *Bel-Ami*
Maupassant, *Le papa de Simon*
Maupassant, *Pierre et Jean*
Maupassant, *Une vie*
Mauriac, *Le Mystère Frontenac*
Mauriac, *Le Noeud de vipères*
Mauriac, *Le Sagouin*
Mauriac, *Thérèse Desqueyroux*
Mazetti, *Le mec de la tombe d'à côté*
McCarthy, *La Route*
Mérimée, *Colomba*
Mérimée, *La Vénus d'Ille*
Mérimée, *Carmen*
Mérimée, *Les Âmes du purgatoire*
Mérimée, *Matéo Falcone*
Mérimée, *Tamango*
Merle, *La mort est mon métier*
Michaux, *Ecuador et un barbare en Asie*
Mille et une Nuits
Mishima, *Le pavillon d'or*
Modiano, *Lacombe Lucien*
Molière, *Amphitryon*
Molière, *L'Avare*
Molière, *Le Bourgeois gentilhomme*
Molière, *Le Malade imaginaire*
Molière, *Le Médecin volant*
Molière, *L'Ecole des femmes*
Molière, *Les Précieuses ridicules*
Molière, *L'Impromptu de Versailles*
Molière, *Dom Juan*
Molière, *Georges Dandin*
Molière, *Le Misanthrope*
Molière, *Le Tartuffe*
Molière, *Les Femmes savantes*
Molière, *Les Fourberies de Scapin*
Montaigne, *Essais*
Montesquieu, *L'Esprit des lois*
Montesquieu, *Lettres persanes*
More, *L'Utopie*
Morpurgo, *Le Roi Arthur*
Musset, *Confession d'un enfant du siècle*
Musset, *Fantasio*
Musset, *Il ne faut juger de rien*
Musset, *Les Caprices de Marianne*
Musset, *Lorenzaccio*
Musset, *On ne badine pas avec l'amour*
Musso, *La fille de papier*
Musso, *Que serais-je sans toi?*
Nabokov, *Lolita*
Ndiaye, *Trois femmes puissantes*
Nemirovsky, *Le Bal*
Nemirovsky, *Suite française*
Nerval, *Sylvie*
Nimier, *Les inséparables*
Nothomb, *Hygiène de l'assassin*
Nothomb, *Stupeur et tremblements*
Nothomb, *Une forme de vie*
N'Sondé, *Le coeur des enfants léopards*
Obaldia, *Innocentines*
Onfray, *Le corps de mon père, autobiographie de ma mère*
Orwell, *1984*
Orwell, *La Ferme des animaux*
Ovaldé, *Ce que je sais de Vera Candida*
Ovide, *Métamorphoses*
Oz, *Soudain dans la forêt profonde*

# NOTES

3345396R00016

Printed in Germany
by Amazon Distribution
GmbH, Leipzig